Pais e filhos

Sem diálogo, as famílias morrem

AUGUSTO CURY
O PSIQUIATRA MAIS LIDO DO MUNDO

Pais e filhos
Sem diálogo, as famílias morrem

Principis

Esta é uma publicação Principis, selo exclusivo da Ciranda Cultural
© 2022 Ciranda Cultural Editora e Distribuidora Ltda.

Texto
© Augusto Cury

Editora
Michele de Souza Barbosa

Preparação
Walter Sagardoy

Revisão
Fernanda R. Braga Simon

Produção editorial
Ciranda Cultural

Diagramação
Linea Editora

Design de capa
Ana Dobón

Imagens
Evgeny Atamanenko/shutterstock.com

Dados Internacionais de Catalogação na Publicação (CIP) de acordo com ISBD

C982c	Cury, Augusto
	Pais e filhos: Sem diálogo, as famílias morrem / Augusto Cury. - Jandira, SP : Principis, 2022.
	64 p. ; 15,50cm x 22,60cm. (Augusto Cury)
	ISBN: 978-65-5552-730-8
	1. Autoajuda. 2. Inteligência emocional. 3. Emoções. 4. Controle. 5. Autoconhecimento. 6. Autonomia. 7. Família. I. Título. II. Série.
2022-0401	CDD 158.1
	CDU 159.92

Elaborado por Lucio Feitosa - CRB-8/8803

Índice para catálogo sistemático:
1. Autoajuda : 158.1
2. Autoajuda : 159.92

© 2022 Dreamsellers Pictures Ltda.
www.augustocury.com.br

1ª edição em 2022
www.cirandacultural.com.br
Todos os direitos reservados.
Nenhuma parte desta publicação pode ser reproduzida, arquivada em sistema de busca ou transmitida por qualquer meio, seja ele eletrônico, fotocópia, gravação ou outros, sem prévia autorização do detentor dos direitos, e não pode circular encadernada ou encapada de maneira distinta daquela em que foi publicada, ou sem que as mesmas condições sejam impostas aos compradores subsequentes.

Dedico este livro a alguém especial.

*Que sua vida seja um canteiro de oportunidades.
E, quando você errar o caminho, não desista.
Saiba que ser feliz não é ser perfeito,
Mas usar suas lágrimas para irrigar a tolerância,
Usar seus erros para corrigir suas rotas,
Usar suas perdas para refinar sua paciência.
É criticar menos e apostar muito mais.
É dar sempre uma nova chance para si e para os outros.
Ser feliz é aplaudir a vida mesmo diante das vaias.*

Sumário

1   Sem diálogo, sua família morre   10

2   Sem diálogo, as relações nascem e morrem   20

3   Ferramentas para reacender relações doentias   28

4   O Mestre dos mestres das relações sociais   38

5   Por onde caminha a educação   48

Referências   59
Sobre o autor   61

Capítulo 1

Sem diálogo, sua família morre

Dialogar e ouvir são duas das mais nobres funções da inteligência, cultivadas no terreno da confiabilidade, da empatia e da liberdade. Onde há déficit de diálogo, a qualidade da capacidade de ouvir é débil. Onde há déficit da capacidade de ouvir, a capacidade de dialogar é asfixiada.

Sem diálogo, a personalidade dos filhos adoece, os casais se fragmentam, as famílias se destroem ou vivem de aparência.

Você pode cuidar de sua família com o máximo de responsabilidade, suprindo-a de alimentos, pagando escola cara para os filhos, trocando de carro com frequência, construindo uma residência confortável... Mas, se não a nutrir com um diálogo profundo e aberto, você acertará no trivial, mas errará no essencial.

Você valoriza o essencial ou só se dedica ao trivial? Consegue suprir quem ama com aquilo que o dinheiro não compra?

Para desenvolver a arte de dialogar, é preciso superar a necessidade neurótica de estar sempre certo(a), despir-se do heroísmo e do excesso de argumentação e colocar-se como um simples ser humano – como tal, imperfeito, consciente de suas limitações, capaz não apenas de exaltar seus acertos, mas também de reconhecer suas falhas, lágrimas e frustrações.

Toda pessoa que argumenta e se defende demais não sabe se interiorizar, não reconhece suas falhas, desconhece o manjar do relaxamento:

desarmar-se e se posicionar como um simples ser humano que anda nas avenidas do tempo em busca de si mesmo.

De que manjar você desfruta: do estresse ou da tranquilidade? Consegue falar de suas lágrimas ou vive represando-as, achando que ninguém entenderá você?

Para desenvolver a arte de dialogar, é necessário desenvolver a arte de ouvir. E, para desenvolver a arte de ouvir, é preciso superar a necessidade neurótica de julgar, criticar, apontar falhas. É indispensável recolher as armas, julgar menos e abraçar mais, criticar menos e apostar mais.

Você recolhe as armas ou é uma pessoa impulsiva, especialista em apontar falhas e traumatizar seus filhos, alunos, parceiro(a), colegas de trabalho?

Quem não aprender a ouvir nunca saberá dialogar. Quem não aprender a dialogar nunca será um bom ouvinte. Muito provavelmente, a grande maioria dos seres humanos sabe proferir palavras e escutar sons, mas não sabe ouvir e dialogar. Eles vivem na superfície das relações sociais. São candidatos a deuses, mas estão despreparados para ser simplesmente seres humanos...

A arte de ouvir

1. Ouvir não é escutar, mas é se esvaziar para ouvir o que os outros têm a dizer, e não o que queremos ouvir.

Quem não se esvazia não permite a entrada dos outros em sua história. Vive para si, é autossuficiente. E uma pessoa autossuficiente é egocêntrica, saturada de verdades irrefutáveis, não se abrindo para outras possibilidades. É individualista, enxerga o mundo somente com seus olhos, ouve o que deseja, e não o que os outros de fato querem falar.

Muitos auscultam seus pacientes, mas são incapazes de ouvir seus sentimentos. Escutam queixas de seus colaboradores, mas não o conflito que as alimenta. Escutam palavras agressivas da pessoa que escolheram para dividir sua história, mas não os fantasmas mentais que sequestram seu Eu. Escutam reclamações dos filhos e os criticam como ingratos, mas não ouvem os clamores do sofrimento, da angústia e da autopunição que os acometem.

2. **Ouvir é silenciar a mente para se colocar no lugar dos outros e perceber suas dores e necessidades sociais.**

Ouvir é aquietar a mente, silenciar os pensamentos. Somente diminuindo nossa agitação mental é que podemos aprender a difícil arte de nos colocar no lugar dos outros.

Ouvir é muito mais do que julgar comportamentos e criticar condutas. É perceber o que está sob a cortina do comportamento dos outros, perceber suas necessidades, enxergar suas dores ocultas e suas frustrações.

Quem se coloca no lugar dos outros ouve com profundidade, torna-se lento para julgar e rápido para abraçar. Mas quem não se coloca no lugar dos outros é sempre superficial, rápido para criticar, mas lento para compreender e incluir.

3. **Ouvir é penetrar no coração psíquico e desvendar as causas de comportamentos disfuncionais, como agressividade, timidez, ingratidão, mau humor.**

Ouvir é ser um cirurgião emocional. É ser capaz de analisar o que as palavras não disseram e o que as imagens não revelaram. É penetrar no coração psíquico para perceber, ainda que minimamente, o que está por trás da agressividade, o que alicerça a timidez e o que promove a ansiedade, os tropeços, os comportamentos reprováveis e as loucuras.

Quem não aprender a ouvir nunca saberá dialogar. Quem não aprender a dialogar nunca será um bom ouvinte.

Se professores se desarmassem e ouvissem seus alunos, haveria menos suicídios. Se pais ouvissem frequentemente seus filhos, haveria menos uso de drogas. Se casais ouvissem mais um ao outro, haveria menos divórcios.

Quem penetra no âmago daqueles que lhe são íntimos aprende a belíssima arte de respeitar as lágrimas visíveis e perceber as que nunca foram choradas.

A arte de dialogar

1. **Dialogar é transferir o capital das experiências.**

Muitos transferem dinheiro, mas não transferem o mais vital dos capitais: suas experiências. Dão carros, joias e outros presentes, mas não sabem dar a si mesmos, nem sua história. Não sabem falar de si, comentar sobre suas fobias, discorrer sobre seus temores, discursar sobre seus conflitos. Quem não sabe falar de suas lágrimas não pode ensinar seus filhos e alunos a chorar as deles.

O diálogo interpessoal cruza os mundos psíquicos, implode a solidão.

Muitos casais começam a relação com a imensa vontade de fazer um ao outro feliz. Fazem juras de amor, mas seu romance não é inteligente, não é irrigado pelo diálogo, pela tolerância, pelo respeito às limitações um do outro. A solidão, que antes era detestável, torna-se a companheira íntima dos casais. Eles permanecem próximos fisicamente, mas muito distantes interiormente. E seu romance morre. Nenhum romance é duradouro se não há diálogo desprovido da necessidade de mudar um ao outro.

2. **Dialogar é ser transparente, é revelar segredos do coração.**

O amor é a mais delicada flor do território da emoção. Diariamente, precisa ser irrigado com um diálogo transparente, aberto, honesto.

Quem esconde sentimentos, mágoas e frustrações com o (a) parceiro(a) anestesia os sintomas, mas não cura as feridas.

Muitos casais, pais e executivos são peritos em anestesiar seus conflitos, mas não em resolver suas causas. Com o tempo, a ferida penetra como um câncer, destruindo a relação. Por mais rica que tenha sido no passado, nenhuma relação sobrevive quando se dissimulam sentimentos, escondem-se as mágoas.

Filhos que não se abrem para os pais são sugados por seus vampiros emocionais. Alguns estão à beira do suicídio. Poderiam ser aliviados com um diálogo sincero e aberto, mas têm medo de ser criticados, rejeitados, incompreendidos.

Nada alimenta mais nossos vampiros emocionais do que os trancafiar nos porões da mente, do que dissimular nossos sentimentos ou mentir para poupar os outros e evitar atritos. Esses vampiros sangrarão o que temos de melhor...

Ter vergonha de nossas falhas e medo de nossos fracassos nos faz escrever os piores capítulos de nossas vidas, nos dias mais difíceis de nossa história. Mas assumir que somos imperfeitos, reconhecer nossos erros e dialogar sobre eles sem medo permite que nosso Eu escreva os capítulos mais importantes de nossa existência, nos dias mais dramáticos de nossa história...

3. Dialogar é ter a disposição de abraçar mais e criticar menos.

Ao penetrarmos no território da emoção de quem amamos, tornamo-nos menos julgadores e mais apoiadores, menos impacientes e mais generosos.

Quem tem disposição para apoiar sabe que há diferenças entre a contribuição eficiente e a contribuição intencional. Mas toda intenção de contribuir é digna de aplausos.

Ter vergonha de nossas falhas e medo de nossos fracassos nos faz escrever os piores capítulos de nossas vidas, nos dias mais difíceis de nossa história.

Pais e filhos

Sem a arte de aplaudir, asfixiamos a capacidade das crianças, dos jovens e dos adultos de participar, de se superar e de se reinventar.

Certa vez, um filho de sete anos preparou um sanduíche para o pai. Temperou a alface, mas, em vez de sal, usou açúcar. O pai, ao dar a primeira mordida, gritou "Esse lanche está péssimo!". Jogou no lixo o sanduíche e o amor do filho. Plantou na memória da criança um arquivo traumático, uma *janela killer*. Sufocou sua generosidade. Nunca mais o filho o serviu com amor...

Muitos pais e professores formam servos, e não pensadores, porque valorizam a resposta, e não a participação, porque aplaudem o acerto, e não o sonho de contribuir.

São impacientes, cartesianos e lógicos, não sabem educar a emoção. São peritos em corrigir erros, e não em promover a cooperação. São notórios por elevar o tom de voz e silenciar a rebeldia, mas não por estimular seus filhos e alunos a se interiorizar.

Capítulo 2

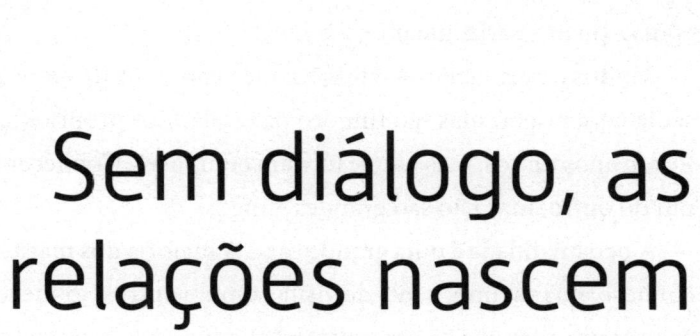

Sem diálogo, as relações nascem e morrem

Romances que começam no céu do afeto e terminam no inferno dos atritos

Dialogar não é conversar. Dialogar é falar de si, é expor camadas mais profundas do próprio ser. Qualquer pessoa superficial conversa sobre política, economia, esportes, cinema, mas só as pessoas profundas conversam sobre si mesmas, saem da crosta da inteligência para entrar em espaços ocultos da própria personalidade e da personalidade das pessoas com as quais se relacionam.

Muitos casais sabem ouvir sons, mas não a voz da emoção. Têm ousadia para brigar, mas são tímidos para falar dos próprios sentimentos. Ficam anos juntos, mas não se tornam cúmplices. Conhecem os defeitos um do outro, mas não são grandes amigos.

A personalidade é uma grande casa. A maioria dos maridos e esposas conhece, no máximo, a sala de visitas um do outro. Conhece os defeitos de cada um, mas não as áreas mais íntimas do seu ser. Discute problemas, mas não se torna cúmplice da mesma aventura. Não revela suas mágoas, não fala dos seus conflitos, não aponta suas dificuldades.

Se você quer cultivar o amor, o melhor caminho não é dar presentes caros, mas dar uma joia que não tem preço: seu próprio ser. Dizer

Você conhece
profundamente
as pessoas ou fica
na superfície da
relação?

"Obrigado(a) por você existir!" vale mais do que diamantes raros. A arte de dialogar refresca a relação, estimula o *fenômeno RAM* (Registro Automático da Memória) a construir *janelas light* que pavimentam a confiança, o respeito e a admiração. Sem confiança, respeito e admiração, não há amor sustentável.

Aptos para conviver com máquinas, mas não com seres humanos

Muitas famílias se reúnem e, depois de algumas horas, o inferno dos atritos começa. Seus integrantes se amam, mas o amor e a admiração mútuos não têm profundidade e estabilidade, pois não sabem ouvir uns aos outros nem sabem dialogar uns com os outros. São especialistas em cobrar, mas não em proteger uns aos outros.

Muitos estão aptos a conviver com máquinas, mas não a construir belas histórias de amor. São especialistas em apontar falhas, erros, mas não em construir relações saudáveis.

Quem deseja cultivar o amor precisa ter coragem para fazer pelo menos quatro importantes perguntas durante toda a vida à pessoa amada:

– Quando eu o (a) decepcionei?
– Que comportamentos meus o (a) aborrecem?
– O que eu devo fazer para torná-lo(a) mais feliz?
– Como posso ser um(a) amigo(a) melhor?

Você tem feito com frequência essas perguntas? Muitos nunca as fizeram. Eles consertam as trincas da parede, mas não as trincas do relacionamento; estancam a água da torneira que vaza, mas não o vazamento da amizade e da afetividade.

Belos casais começam no céu de um altar e terminam no inferno dos atritos; têm tristes finais porque não se equipam para ser amigos, não treinam trocar experiências. São ótimos para defender seus pontos de vista, mas raramente reconhecem seus erros. Mas quem não erra? Quem não tem atitudes tolas? Ganham batalhas, mas perdem o amor.

Por que não sabem falar de si? Porque têm medo de ser criticados, incompreendidos, ridicularizados. Têm medo da guerra emocional que se instala quando revelam os segredos do coração, quando comentam sobre seus reais sentimentos.

Não são poucos os casais que, sem perceber, acabam colocando várias máscaras em sua personalidade. Não se sabe o que se passa na mente deles, porque raramente revelam o que sentem e pensam. Às vezes, nem eles sabem quem realmente são.

A falta de diálogo afeta a estabilidade da emoção, a profundidade dos sentimentos, a rapidez do raciocínio, a motivação, os projetos de vida. Com diálogo, os romances débeis se fortalecem. Sem diálogo, os mais belos romances se esfacelam.

Perturbados com as *janelas killers* que financiam o sentimento de culpa ou o medo de serem julgados, criticados e pressionados, os casais que não dialogam pioram cada vez mais a capacidade de conversar sobre si mesmos sem medo e sem reservas. E, pior ainda, têm tempo para tudo, mas não para ouvir quem amam.

É mais fácil dar dinheiro, pagar uma escola, dar presentes. Colocam em segundo plano as pessoas mais caras. Preferem ficar na superfície da relação, para não sofrerem mais, para não serem mais cobrados ou pressionados.

Você tem esse comportamento?

Se tem, você precisa se reinventar, pois ele representa um erro grave nas relações interpessoais. Não é possível superar os monstros que estão em nosso inconsciente, nem reescrever nossa história, se não construirmos relações saudáveis e profundas.

Relações abertas, regadas com um diálogo sincero e afetivo, produzem uma plataforma de *janelas light* que financiam o Eu como autor da própria história, como gestor dos pensamentos e protetor da emoção.

Relação entre pais e filhos: fonte de prazer ou conflitos

Pais que têm filhos usuários de drogas devem cobrar menos e encantar mais, falar menos das drogas em determinado período e falar mais de si. Desenhar, portanto, uma nova paisagem nos solos da memória dos filhos. Porque apontar falhas, ameaçar e pressionar só faz os pais perder seu valor no psiquismo dos filhos, levando as drogas a ocupar um lugar de destaque.

Se estiver numa situação assim, por favor, pare! Não perca o autocontrole. Reitero: gritar, acusar e apontar falhas são não apenas atitudes deselegantes, como também a melhor forma de perder quem amamos.

Os pais devem entender que os filhos têm conflitos, como depressão, pânico, obsessão, anorexia, dependência de drogas, porque possuem algemas no cerne da mente, ou seja, plataformas de *janelas killers* que controlam o Eu nos focos de tensão, debelando sua disposição de serem autores da própria história. Devem, por isso, ouvi-los sem preconceito e encorajá-los não a ser marionetes, mas a exercer seu direito fundamental de ser livres e de usar todas as ferramentas que aqui proponho. Precisamos de *coaching* de relacionamento.

Coaching quer dizer "treinamento". Precisamos educar a emoção. Precisamos de treinamento para contribuir para que as pessoas tenham mais condições de escrever o *script* de sua história.

Se a relação de uma pessoa em conflito for mais forte com as pessoas que ama, ela terá mais subsídio para se superar. Se a relação for mais forte, o amor vencerá. Construir relações profundas e estáveis é fundamental para conquistar um Eu maduro.

Não basta se relacionar; é preciso aprender a construir relações saudáveis. Não basta amar; é preciso amar com inteligência. Caso contrário, as relações entre pais e filhos, professores e alunos, casais e colegas de trabalho podem começar no céu do afeto e terminar no inferno dos atritos.

Capítulo 3

Ferramentas para reacender relações doentias

1. Para dialogar, é necessário não ter medo de reconhecer as próprias fragilidades, incoerências e conflitos nem ter vergonha de si mesmo(a).
2. Para ouvir, é necessário não ter medo do que o outro tem para falar. É preciso ter cumplicidade, deixar de lado o julgamento e exercer a arte de compreender.
3. Uma das coisas mais relaxantes de uma relação é ter a convicção de que não somos perfeitos. É saber que precisamos um do outro.
4. Brinquem mais um com o outro. Sonhem juntos. Relaxem. Não levem a vida a ferro e fogo.
5. Ninguém muda ninguém. Não tente ser um psiquiatra ou psicólogo que tenta mudar os outros: você vai falhar e plantar mais *janelas killers* neles. Nem nós, especialistas, conseguimos mudar os outros. Só podemos contribuir para que o Eu dessas pessoas use ferramentas para que elas mesmas reescrevam sua história.
6. Reclame menos e elogie mais. Agradeça a cada momento, a cada pequeno gesto que seu marido ou esposa ou filho fizer a você. Essa atitude planta *janelas light* no córtex cerebral deles e muda a paisagem da relação.
7. Surpreenda. Dê flores fora de datas especiais. Faça um jantar diferente. Tome atitudes inesperadas.

8. Liberte sua criatividade, saia da rotina. Não dê as mesmas respostas para os mesmos problemas. Simples gestos podem resultar em grandes conquistas.

Ser pais ou professores brilhantes, eis a questão

Em minhas pesquisas, detectei sete hábitos dos pais brilhantes. Comentarei aqui alguns deles.

Bons pais atendem, de acordo com suas condições, os desejos dos filhos. Fazem festas de aniversário, compram tênis, roupas, produtos eletrônicos, proporcionam viagens.

Pais brilhantes dão algo incomparavelmente mais valioso a eles: dão sua história, suas experiências, suas lágrimas, seu tempo.

Pais que dão presentes para os filhos são lembrados por horas e dias, mas aqueles que dão seu ser a eles se tornam inesquecíveis.

Você quer ser um pai ou uma mãe inesquecível?

Tenha coragem de dialogar sobre os dias mais tristes da sua vida com seus filhos. Tenha ousadia de contar suas dificuldades e derrotas do passado. Fale também das suas aventuras, dos seus sonhos e dos momentos mais alegres de sua existência. Deixe-os conhecer você.

A maioria dos filhos não conhece nem a sala de visitas da personalidade dos pais. Só irão sentir a falta deles quando eles fecharem os olhos.

Não seja um(a) educador(a) que critica os erros dos jovens, que aponta a ansiedade deles e faz prolongados discursos de que eles não valorizam você, não reconhecem o quanto se desgasta por eles.

Pais e professores no mundo todo fazem isso, sem resultados.

Faça a diferença. Lembre-se de que existe um fenômeno que arquiva todos os nossos comportamentos na memória dos nossos filhos e alunos em frações de segundo: o *fenômeno RAM* (Registro Automático da Memória). Se não registrar janelas saudáveis ou *light* na mente deles, você não os influenciará de forma inteligente e produtiva. Quem precisa elevar o tom de voz para ser ouvido tem uma imagem doentia dentro das pessoas que ama.

Encante seus filhos e seus alunos diariamente. Diga coisas que você nunca disse. Elogie mais, critique menos. Exalte cada pequeno gesto afetivo e inteligente deles. Pergunte sobre seus sonhos e seus medos. Pergunte o que você poderia fazer para ser mais amigo(a) deles. Um diálogo nesse nível evita suicídios, supera traumas, abre avenidas para o prazer de viver.

Se você errar, dê o exemplo: peça desculpas, reconheça seus erros. Tais atitudes não vão tirar sua autoridade, mas construirão *janelas light* que alicerçarão a verdadeira autoridade, uma autoridade que humaniza e desenvolve a arte de pensar. Tenha consciência de que educar é penetrar um no mundo do outro.

Esses princípios podem ser aplicados também nas relações profissionais para transformá-las numa excelente primavera. Um verdadeiro líder é aquele que forma outros líderes, que exalta seus liderados, que explora o potencial intelectual de todos eles.

A dependência saudável na espécie humana e as lições de vida

Muitos pais trabalham para dar o mundo aos filhos, mas se esquecem de abrir o livro de sua vida para eles. Muitos professores dão milhões de informações lógicas para seus alunos, mas nunca contam os capítulos de sua história.

Quanto mais inferior é a vida de uma espécie, menos dependente ela é de seus genitores. Nos mamíferos, há uma dependência grande dos filhos em relação aos pais, pois eles necessitam não apenas do instinto, mas também do aprendizado de experiências para sobreviver.

Na nossa espécie, essa dependência é intensa. Por quê? Porque as experiências aprendidas são mais importantes do que as instintivas. Uma criança de sete anos é muito imatura e dependente, enquanto muitos mamíferos com a mesma idade já são idosos à beira da morte.

Infelizmente, a família moderna tem-se tornado um grupo de estranhos. Pais e filhos respiram o mesmo ar, alimentam-se da mesma comida, mas não desenvolvem a arte de ouvir e dialogar. Não tem havido aprendizado mútuo das lições de vida. Eles estão próximos fisicamente, mas distantes interiormente.

O mesmo processo tem acontecido nas escolas. No livro *Pais brilhantes, professores fascinantes*, comento que a educação mundial está em crise e comete vários erros. Ela desconhece os papéis da memória. Por isso, não desenvolve ferramentas adequadas para formar pensadores. Usa a memória das crianças como um depósito de informações.

O excesso de informações gera ansiedade e falta do deleite de aprender. O pequeno microcosmo da sala de aula tornou-se um canteiro de pessoas estranhas, tensas, sem relacionamento mais profundo.

A educação tem de se humanizar. Os professores devem falar do seu mundo enquanto falam do mundo exterior, enquanto ensinam Física, Matemática, Química, Línguas.

Professores e alunos ficam anos juntos sem cruzar suas histórias, sem aprender lições mútuas de vida. O resultado? Os alunos saem das universidades com diploma nas mãos, mas estão despreparados para lidar com fracassos, decepções, desafios, confrontos. Não sabem abrir as janelas da mente, libertar a criatividade, pensar antes de reagir, interpretar o que as imagens não revelam e resgatar a liderança do Eu nos focos de tensão.

Sepultando pessoas vivas

Quem forma a memória inconsciente, histórica ou existencial (ME) é a memória emergente, diária, ou memória de uso contínuo (MUC).

Todas as experiências adquiridas pelo feto, pelo bebê, pela criança e pelo adulto, se não utilizadas constantemente por fenômenos como o *autofluxo*[1], o *gatilho da memória*[2] e o Eu, desaparecem?

Não! A grande maioria é deslocada da MUC para a ME, do consciente para o inconsciente, da história recente para o imenso universo do passado. Esse processo é espontâneo e necessário. Caso contrário, entulharíamos a construção de pensamentos e emoções com tudo o que experimentamos e vivemos.

Já pensou se, para identificar a face de um conhecido, você tivesse de acessar milhões de faces que já viu? Esse processo estressaria o cérebro e tornaria lento o processo de análise.

Já pensou se, para diferenciar uma tosse de um espirro, de uma reação de espanto ou de uma vertigem, você tivesse de processar milhões de comportamentos que já presenciou?

A ME contém os segredos de nossa história, as imensas páginas de nossa existência. Todos os dias essa memória é acessada inúmeras vezes, mas, no processo de construção de pensamentos e emoções, supervalorizamos a MUC, a memória de uso contínuo.

A memória é um grande supermercado, mas não usamos todos os ingredientes a toda a hora que cozinhamos as ideias e os sentimentos. Usamos aquilo que está mais disponível.

---

[1] Autofluxo é o fenômeno inconsciente que lê a memória milhares de vezes por dia para produzir imagens mentais, personagens, ambientes, etc. À noite, é o engenheiro dos sonhos e, durante o dia, é o engenheiro que inspira e distrai a mente humana. Mas poderá causar estresse se as imagens mentais forem perturbadoras. (N.A.)

[2] Gatilho da memória é o primeiro fenômeno inconsciente usado no processo de interpretação. Diante de um estímulo, seja um som, seja uma imagem, por exemplo, ele abre janelas ou arquivos no córtex cerebral e produz nossas primeiras reações, emoções, impressões, pensamentos. (N.A.)

Se por um lado esse processo seletivo é útil para preservar o cérebro do esgotamento, por outro ele acarreta consequências sérias e doentias quando acabamos por sepultar pessoas queridas, colocando-as nos porões de nossa história.

Por vivermos numa sociedade ansiosa, tornamo-nos especialistas em sepultar pessoas de inestimável valor. Bons amigos, se não forem cultivados, vão para o baú da ME.

Nessa sociedade estressante e urgente, os amigos que fizeram a diferença em nosso passado, com os quais parecia que cultivaríamos laços eternos, tornam-se irrelevantes, perdem seu significado. Não procurar resgatá-los, não lhes enviar algumas mensagens nem procurar saber como eles estão é quase um crime contra o *coaching* de relacionamentos, a gestão de pessoas.

Há filhos que sepultam os pais em sua memória. Quase não os visitam e, quando o fazem, nunca perguntam sobre suas aventuras e lágrimas. Colocam-nos na periferia do seu psiquismo.

Há pais separados que sepultam os filhos, embora haja muitos que sejam presentes. Alguns prometem que eles jamais deixarão o centro da sua história, mas pouco a pouco os colocam no rodapé.

E você, tem sepultado seus filhos vivos? É extremamente triste sepultar um filho que fechou os olhos para a vida, mas é igualmente triste sepultar um filho vivo em nossa memória.

Nas escolas Menthes, nos cursos de *coaching* de relacionamento, nós estimulamos pais, casais e filhos a se perguntarem que conflitos os asfixiam, que pensamentos os deprimem, em que poderiam contribuir para tornar os outros mais felizes.

Por inacreditável que pareça, a maioria dos seres humanos sepulta quem ama nas regiões escuras e inconscientes da ME. Diariamente, eles veem a pessoa amada, mas nas regiões escarpadas da MUC. Dividem a mesma casa, mas estão muitíssimo distantes uns dos outros. Não sabem chorar, aventurar-se ou sonhar juntos.

Que pessoas caras você tem colocado no subsolo da sua memória? Que personagens insubstituíveis você tem substituído por coisas banais e irrelevantes? Quem você enclausurou nos porões da sua mente?

Sei que é muito fácil um pai superpreocupado enterrar os filhos nos escombros de suas atividades. Mas sei que é possível fazer o oposto.

Enquanto escrevia este texto, minha filha Cláudia, a mais nova, entrou no escritório e me deu um beijo prolongado na face. Interrompeu meu texto e disse que seu beijo iria me inspirar. Em seguida, pediu que almoçasse com ela, mas eu estava num emaranhado de ideias. Respondi que logo iria. Passados alguns minutos, sentada à mesa, ela bradou para eu me apressar. Rapidamente, encerrei o trabalho e fui almoçar com ela, que é preciosa demais para mim.

Contei esse fato para lembrar que há casais que se tornam máquinas de trabalhar a ponto de sepultar o que jamais imaginariam que um dia enterrariam. Prometem amar-se na saúde e na doença, na fortuna e na miséria, mas se esquecem de prometer que no excesso de trabalho também. No livro *Casais inteligentes, relações saudáveis*, cito uma série de acidentes entre casais que fragmentam e destroem as relações que todos juraram ser intermináveis.

Capítulo

4

O Mestre dos mestres das relações sociais

Não há famílias perfeitas

A nossa memória existencial (ME) torna-se frequentemente um cemitério dos nossos melhores sonhos. Adiamos projetos, trabalho, estudo. Deixamos para segundo plano aquilo que nos motiva e nos toca, pensando que somos eternos.

Todos precisamos rever nossa história, inclusive eu, que escrevo sobre esse *coaching* de relacionamento. Deixei pessoas caras pelo caminho, principalmente amigos, devido ao excesso de trabalho e tantas viagens.

E você? Mergulhe dentro de si, mapeie os solos de sua memória e descubra as pessoas que você sepultou. Cite-as em sua mente.

Se você quiser ter uma família perfeita, filhos que não o (a) decepcionem, alunos que não o (a) frustrem e colegas de trabalho que não o (a) aborreçam, será melhor mudar-se para outro planeta.

Aceite as pessoas com seus limites e construa relações saudáveis com elas. A melhor forma de construir excelentes imagens nos solos da memória de outras pessoas é surpreendendo-as, agindo de maneira inesperada.

Nunca critique alguém antes de valorizá-lo. Não poucas vezes, errei por apontar primeiro o erro dos outros, inclusive das minhas filhas.

Que sonhos você sepultou? Que projetos de vida você escondeu debaixo do tapete de suas imensas atividades?

Felizmente, aprendi que primeiro devemos elogiar, conquistar o território da emoção, para depois conquistar os terrenos da razão.

Grave esta pérola: uma pessoa inteligente aprende com seus erros; uma pessoa sábia aprende com os erros dos outros... Transforme a relação com as pessoas que você ama numa grande aventura!

O Mestre da construção das relações interpessoais

Grandes homens têm medo de falar de si.

Há muitos padres de excelente caráter, mas sem coragem de abrir a caixa de segredos da sua vida. Têm receio de falar de seus conflitos, de seus traumas e de suas crises depressivas para os amigos. Não encontram alguém que possa ouvi-los sem críticas. Têm medo de não ser compreendidos. São solitários.

Há líderes protestantes que gastam a vida servindo as pessoas, mas vivem isolados dentro de si. Conhecem muitas pessoas, mas não têm amigos a quem possam revelar seus sofrimentos. Alguns estão estressados e com síndrome do pânico, choram nos cantos dos templos, mas calam-se. Sentem solidão em meio a multidões. São ótimos para os outros, mas péssimos para si mesmos.

Há líderes muçulmanos que orientam milhares de fiéis com generosidade, mas não comentam sobre as próprias dores e temores. Ficam anos se martirizando. Pensam que um líder não pode revelar suas lágrimas.

Há rabinos que ensinam por anos nas sinagogas. Recitam a Torá com maestria, mas não recitam a linguagem das suas angústias. Falam sobre tudo, mas emudecem diante das próprias aflições.

Há líderes budistas que ficam anos meditando, mas não abrem a boca para falar de suas crises depressivas. Ensinam às pessoas a mansidão e a humildade. Alguns tomam a mansidão de Cristo como modelo, mas não têm desprendimento para falar das próprias mazelas emocionais. Têm receio de ser considerados frágeis.

As religiões podem ser uma fonte de saúde psíquica quando irrigadas com diálogo profundo, generosidade, altruísmo e respeito pelos diferentes, mas podem ser uma fonte de doenças mentais quando acompanhadas de radicalismo, legalismo, exclusão social e medo da imperfeição.

Não apenas magníficos líderes espirituais se isolam em sua mente nos momentos em que mais precisam falar, mas também executivos, empresários, políticos, juízes, promotores e médicos se aprisionam dentro de si. São cultos e eloquentes para discorrer sobre o mundo de fora, mas se calam sobre o mundo da emoção. São controlados pelo medo do que os outros pensam e falam deles. Jamais encontram um ombro para chorar. Represam seus sentimentos, sufocam suas dores, silenciam o grito de sua mente que clama por ajuda.

Têm medo, inclusive, de procurar um psiquiatra ou psicólogo experiente. Esqueceram-se do princípio filosófico fundamental: se a sociedade me abandona, a solidão é tolerável, mas, se eu mesmo me abandono, a solidão é insuportável.

E você? Tem coragem de "rasgar" a sua história para alguns amigos ou vive encarcerado(a) na lama da solidão, com medo de expor suas fragilidades, ansiedades, medos, incoerências, conflitos, "loucuras"?

No livro *Gestão da emoção*, um dos mais importantes da minha carreira, comento que a primeira ferramenta para começar a ter qualidade de vida é renunciar à perfeição.

Houve um homem que surpreendeu o mundo com seus discursos e gestos, mas também com a maneira como encarava a vida, lidava com suas dores e utilizava suas lágrimas. Ele foi o Mestre dos mestres da qualidade de vida. Há dois milênios ele nos dá lições fundamentais para expandirmos a arte de ouvir e dialogar.

Certa vez, à beira da morte, em sua última noite, usou a própria dor como modelo para nos ensinar a lidar com nossas crises e superá-las. É uma pena que religiosos no mundo todo não estudaram seus comportamentos à luz da ciência.

No Getsêmani, o jardim da traição, logo antes de ser preso, julgado e morto, não apenas resgatou a liderança do Eu no teatro da sua mente, como também não escondeu sua angústia e seus sintomas.

Ele teve a coragem de chamar um grupo de alunos que só lhe davam dores de cabeça – Pedro, Tiago e João – e lhes contar que sua alma estava profundamente triste. Você revelaria sua dor para quem o (a) decepciona?

Creio que ninguém a revela. Mas ele teve a ousadia de mostrar seus sofrimentos e sintomas psicossomáticos para discípulos tão jovens e inexperientes. Ao mesmo tempo, preparou-se para suportar o insuportável, ser crucificado e manter a lucidez e o altruísmo, tremular impiedosamente na cruz e, ao mesmo tempo, compreender e perdoar seus carrascos.

Teve, portanto, de realizar o gerenciamento psíquico e a proteção emocional que, provavelmente, jamais na História alguém realizou ou realizaria nas mesmas condições. Essa preparação o levou a experimentar o ápice do estresse. Teve um caso raríssimo de hematidrose ou suor sanguinolento. Somente Lucas, um médico, anotou esse episódio em seus escritos.

Horas depois, seus alunos fugiriam amedrontados, abandonando-o. Mas, reitero, foi com essas frágeis pessoas que Jesus dialogou sobre seu caos. Não teve medo de ser incompreendido, julgado, criticado nem de ser considerado fraco.

Poderia, como muitos, esconder-se atrás de seu sucesso e mostrar seu heroísmo, mas precisava ensinar que dependemos uns dos outros, que necessitamos ser confortados e encorajados por nossos íntimos, mesmo que sejam marcadamente imperfeitos. Mostrou que, para termos saúde emocional, precisamos ser apenas seres humanos, não heróis.

Sem medo de suas lágrimas

A pessoa mais forte que passou por esta terra chorou sem medo das lágrimas. Muitos líderes católicos, protestantes, islamitas, budistas e judeus têm medo de chorar, de mostrar sua pequenez, de revelar suas fragilidades, de posicionar-se como um simples ser humano. Levam para o túmulo seus conflitos.

Mas o Mestre da emoção se deixou conhecer. Foi transparente, não escondeu sequer sua taquicardia e seu intenso suor.

O resultado? O *fenômeno RAM* registrou uma imagem excelente dele no inconsciente de seus discípulos.

Eles aprenderam que ser feliz não é ter uma vida perfeita. Atônitos, aprenderam a escrever capítulos nobilíssimos nos dias dramáticos. Aprenderam a amá-lo em toda situação. Perplexos, entenderam que também passariam por crises e precisariam enfrentá-las e compartilhá-las. O comportamento do Mestre foi tão surpreendente que ajudou os discípulos mais do que se tivessem frequentado décadas de escolas, inclusive se tivessem feito mestrado e doutorado.

Mostrou-nos que não devemos ter vergonha de nossas misérias e fragilidades. Ao contrário, os fortes as declaram, pelo menos para os íntimos. Os fracos as escondem. Você é forte ou fraco(a)?

Quem aprende a se abrir sem medo pode enfrentar o sofrimento, reciclar-se e reinventar-se.

Há pessoas que têm seus sonhos esmagados, sua esperança dilacerada, sua criatividade esfacelada, seu amor pela vida dissipado, porque não souberam cruzar suas histórias. Tiveram medo da crítica dos outros. Viveram ilhadas dentro de si mesmas.

A sociedade moderna é superficial. Tem abortado a arte de ouvir e de dialogar. As pessoas representam um papel, vivem maquiadas.

É verdade que não devemos falar certas coisas publicamente, mas há sempre um grupo de amigos íntimos ou pelo menos uma pessoa que pode e deve nos dar um ombro para chorar. Os grandes seres humanos também choram. Só não chora quem está morto.

O Mestre na arte de ouvir e dialogar

Somos a única geração de toda a História que conseguiu destruir a capacidade de sonhar dos jovens. Nas gerações passadas, os jovens criticavam os conceitos sociais, sonhavam com grandes conquistas.

Onde estão os sonhos dos jovens? Onde estão seus questionamentos?

O sistema social é tão agressivo que tornou os jovens passivos, controlou-os internamente, roubou-lhes a identidade, transformou-os em um número. Eles não criticam o veneno do consumismo, a paranoia da estética e a loucura do prazer imediato produzidos pela propaganda. Para muitos deles, o futuro é pouco importante. Não têm uma grande causa para lutar. O que importa é o hoje.

Pais e professores deveriam ser vendedores de sonhos. Deveriam plantar as mais belas sementes no interior dos jovens para fazê-los intelectualmente livres e emocionalmente brilhantes.

O homem Jesus foi um excelente vendedor do diálogo aberto, sem máscaras, transparente. Ele inspirava as pessoas que o seguiam. Levava-as a sonhar com grandes conquistas. Conquistas de uma vida irrigada com paz, justiça, sabedoria. Conquistas de uma vida exuberante. Ele exaltava a vida humana.

Quando alguém queria saber sobre sua origem, ele falava não sobre sua origem eterna, mas sobre sua origem temporal. Ele era demasiado humano. Proclamava a todos os ouvintes: "Eu sou o Filho do homem". O que isso significa? Significa que valorizava sua natureza humana, amava viver como um ser humano, amava não ter rótulo. Era profundamente apaixonado pela vida.

Nunca analisei alguém que amasse tanto a vida como ele, que valorizasse tanto a própria humanidade como ele. Nós amamos as coisas que a vida nos traz, como dinheiro, casa, prestígio social, carros, conforto material. Ele amava existir, pensar, sonhar, criar, dialogar, ouvir. Nunca investiguei alguém que dissesse orgulhosamente que era um ser humano, mesmo que o mundo desabasse sobre si. A vida humana, de fato, era uma pérola inigualável para ele. E para você?

Ao andarem com esse admirável professor, os insensíveis se encantavam pela vida, os agressivos acalmavam as águas da emoção, e os iletrados se tornavam engenheiros de ideias.

Sempre dócil, ele ouvia os absurdos dos seus discípulos e, pacientemente, trabalhava nos recônditos da emoção deles. Foi um escultor da personalidade. Tinha prazer em dialogar com as pessoas mais simples, menos instruídas. Dentro do bloco de mármore bruto da mente humana, ele via uma obra de arte. E sempre destinava um cuidado especial às pessoas complicadas, como as errantes, as ansiosas, as incautas.

E você, consegue enxergar numa pedra bruta, nas pessoas que o (a) frustram, uma obra de arte que pode ser lapidada?

Para o Mestre dos mestres, as pessoas que mais nos causam dor de cabeça hoje podem vir a ser as que mais nos darão alegrias no futuro. Invista nelas, cative-as, ouça-as, cruze seu mundo com o mundo delas! Plante sementes. Não espere resultados imediatos. Colha com paciência. Esse é o único investimento que jamais se perde.

Se as pessoas não ganharem, você pelo menos ganhará. O quê? Experiência, tranquilidade e consciência crítica de que deu o melhor de si.

Capítulo

5

Por onde caminha
a educação

Uma educação doente forma pessoas doentes

Estamos assistindo ao assassinato coletivo da infância e da juventude de toda uma geração em todas as nações modernas. Nós mantemos crianças e adolescentes atolados em atividades, jogos esportivos, cursos de línguas, computação, internet, *video games*, celulares e horas a fio de televisão.

É uma geração que não tem tempo para brincar, aventurar-se, interiorizar-se, reinventar-se, lidar com perdas e elaborar experiências. Uma geração sem infância e juventude é uma geração que perde a oportunidade de formar as plataformas de janelas ou arquivos fundamentais no cérebro para o desenvolvimento de uma mente livre e uma emoção saudável.

Sem uma rica infância regada a trocas de experiência entre pais e filhos, o Eu, que representa a consciência crítica e a capacidade de autonomia e de escolha, não se torna autor da própria história. E isso facilita à personalidade ser fóbica, ansiosa, intolerante, tímida, insegura, conformista, consumista, superficial, especialista em reclamar de tudo e de todos.

Em conferências para plateias de magistrados, médicos, psicólogos, professores, CEOs de empresas e políticos, tenho falado que, embora todos detestemos o trabalho escravo, submetemos nossos filhos e alunos a um trabalho intelectual escravo ao saturá-los de atividades. Repito: nunca, nas sociedades democráticas, houve tantos escravos no único lugar em que é inadmissível ser um presidiário: no território da emoção.

Tenho falado com pais e diretores de instituições educacionais que as escolas em todo o mundo, do Ocidente ao Oriente, dão ênfase às funções cognitivas, como memória, raciocínio, habilidades técnicas, mas pouquíssimas enfatizam a inteligência socioemocional. Ou seja, quase todas deixam de lado as importantíssimas funções não cognitivas, como proteger a emoção, gerir os pensamentos, colocar-se no lugar do outro, trabalhar perdas e frustrações, pensar antes de reagir, libertar a criatividade, construir relações saudáveis, ter resiliência, proatividade e capacidade de se reinventar.

Essas funções são mais complexas do que ensinar simples valores, como honestidade e respeitabilidade. As funções não cognitivas são vitais para determinar o sucesso emocional, profissional e afetivo de filhos e alunos. São fundamentais para o futuro de uma nação e para o futuro da espécie humana.

Mas onde estão as escolas que ensinam seus alunos a proteger a emoção e a gerenciar a ansiedade? Onde estão as escolas que os ensinam a filtrar estímulos estressantes e a trabalhar perdas e frustrações vivenciadas diariamente fora e dentro das dependências da própria escola? Essa é uma de minhas críticas à educação mundial em mais de setenta países em que meus livros são publicados.

Certa vez, ao dar uma conferência para líderes empresariais, incluindo profissionais da França e da Alemanha, muitos deles disseram estar perdendo seus filhos e que não sabiam mais o que fazer.

Durante o debate, uma jornalista descobriu que desenvolvi o programa Escola da Inteligência, que ensina as funções não cognitivas nas escolas e vem fazendo parte da vida de milhares de alunos.

Ela ficou tão entusiasmada que enviou mensagens a suas amigas para matricularem seus filhos em escolas que aplicam o programa.

Sem uma rica infância regada a trocas de experiência entre pais e filhos, o Eu, que representa a consciência crítica e a capacidade de autonomia e de escolha, não se torna autor da própria história.

O programa Escola da Inteligência entra na grade curricular com uma aula por semana, portanto não altera o currículo da escola. Ele estimula o diálogo, o debate, a interiorização, a capacidade de se colocar no lugar do outro, a ousadia, a flexibilidade, a proteção emocional.

Quando você melhora a autoestima e fortalece o Eu como gestor da mente humana, isto é, as funções não cognitivas, até as cognitivas melhoram, inclusive o aprendizado de Matemática.

Além disso, a violência e o *bullying* diminuem; a solidariedade, o altruísmo, a segurança e a autonomia se expandem. Ficamos comovidos ao ver os resultados. Crianças de sete anos dizem: "Papai, você perdeu o autocontrole". Algumas de oito dizem: "Mamãe, você está reagindo sem pensar".

Você deve questionar seriamente se a escola de seu filho só o prepara para as provas ou também para a vida, se ensina a inteligência emocional e social. Mesmo escolas com mensalidades altíssimas falham nessa área.

Somos um dos institutos que mais contratam psicólogos e pedagogos no Brasil. E temos adotado gratuitamente instituições de jovens em situações de risco, aplicando o mesmo programa que se aplica em escolas particulares. É um grande sonho...

Controlando o estresse de forma divertida: a Turma da Floresta Viva

Abarrotamos o córtex cerebral dos nossos filhos e alunos com milhões de informações de Matemática, Química, Biologia e outras matérias, para que eles conheçam o mundo exterior – o que, sem dúvida, é importante.

Mas não os ensinamos a compreender quase nada sobre as camadas íntimas do seu mundo psíquico, como proponho no livro *A Turma da Floresta Viva*, quando assumo a pele do psiquiatra Marco Polo.

Jovens e crianças de todas as nações compram os estímulos estressantes que não lhes pertencem. Sua emoção é terra de ninguém. Desconhecem as chaves do autocontrole. Não sabem aplicar a técnica do DCD (Duvidar, Criticar, Determinar) para desconstruir as falsas crenças que podem amordaçá-los durante a vida toda.

Ensinamos uma ou mais línguas para nossos filhos e alunos. Algo muito bom! Mas não lhes ensinamos minimamente as bases do autodiálogo inteligente, para domesticarem seus fantasmas mentais, como seus medos, raiva, ciúme, impulsividade, timidez, humor depressivo. As crianças e os adolescentes aprendem a fazer a higiene bucal a cada quatro a seis horas, mas nunca ouviram falar sobre a necessidade de fazer a higiene mental.

Que tipo de educação é essa? Uma educação que prepara nossos filhos para serem livres ou para desenvolverem adoecimento psíquico?

Faça um teste com seus alunos ou com seus filhos: pergunte-lhes se acordam cansados, têm dores de cabeça, dores musculares, sofrimento por antecipação, dificuldade de sono, impaciência, mente agitada, déficit de memória. Você irá às lágrimas ao fazer isso. Muitas escolas caríssimas nem tocam no assunto, pois preferem a maquiagem à realidade.

A grande maioria dos jovens e das crianças apresenta vários desses sintomas, o que demonstra que estão desenvolvendo uma síndrome – a Síndrome do Pensamento Acelerado (SPA). Eles são inquietos, insatisfeitos, ansiosos, impacientes, querem tudo rápido e pronto.

Os pais em todo o mundo estão perdendo o controle da educação de seus filhos. Preocupado com esse fenômeno, escrevi o livro *Ansiedade – Como enfrentar o mal do século para filhos e alunos*, em que ensino o autocontrole e o gerenciamento da ansiedade por intermédio da incrível Turma da Floresta Viva! Eles aprenderão a navegar nas águas da emoção de forma agradável e inteligente...

Há várias causas para a SPA. Entre elas, o excesso de informações e de atividades e o uso de celulares, *games*, redes sociais. Uma criança de hoje tem mais informações que um imperador romano tinha no auge de Roma. Um pré-adolescente de dez anos provavelmente tem mais dados em sua memória do que Sócrates, Platão, Aristóteles, Parmênides e tantos outros pensadores da Grécia Antiga. Não é suportável para a mente humana, nem sustentável para desenvolver uma mente livre e uma emoção saudável, esse esgotamento cerebral. Reitero: esse fenômeno representa um trabalho intelectual escravo.

Pais que dão presentes em excesso e não querem que os filhos passem pelas frustrações que eles passaram, mas, ao mesmo tempo, são cobradores e críticos em excesso, expandem a ansiedade dos filhos. As ferramentas que financiam o diálogo e a capacidade de ouvir podem abrandar a SPA.

Há mais de trinta anos desenvolvo conhecimentos sobre o processo de formação do Eu como gestor psíquico, sobre os papéis da memória, a proteção da emoção e a formação de pensadores. Essa produção, associada à minha atividade como psiquiatra e psicoterapeuta, realizando mais de vinte mil sessões, deixou-me convicto de que, sem desenvolver as funções da inteligência socioemocional dos alunos, especialmente a capacidade de trocar experiências, eles podem adoecer, incluindo os gênios da classe.

Quanto pior a qualidade da educação, mais importante o papel da psiquiatria e da psicologia clínicas.

Tenho dito em minhas palestras que "Nossos filhos estão adoecendo debaixo das nossas mãos. Pais que agem apenas como manuais de regras de comportamento, enfim, que desprezam as funções não cognitivas, estão aptos a consertar máquinas, mas não a formar mentes brilhantes e saudáveis". Eles pagam as escolas mais caras, mas não sabem por que seus filhos estão ansiosos, deprimidos, irritadiços, insatisfeitos, precisando de muitos produtos para sentir migalhas de prazer.

Lembre-se sempre de que a arte de dialogar é a arte de falar de si, de trocar experiência de vida. Pergunte a cada um de seus filhos: Você tem medo de falar de si? Tem medo de ser criticado, julgado, incompreendido?

Se estiverem namorando, indague: Filho(a), como está seu relacionamento com seu parceiro ou parceira? Você cobra demais? O ciúme o (a) controla? Faltam elogios e sobram críticas? Você faz pequenos gestos para encantar sua namorada ou seu namorado?

Pergunte também: Quais são seus sonhos ou pesadelos? Tem sofrido *bullying*, rejeições, frustrações? Que temores ou angústias o (a) perturbam? Existe alguma dor emocional ou conflito sobre o qual você gostaria de falar e não tem conseguido?

Nunca se esqueça de que dialogar é perguntar generosamente, é sair das camadas superficiais da personalidade e entrar em camadas mais profundas.

Reis morreram solitários, celebridades viveram deprimidas, milionários sentiram-se os mais pobres dos homens, pais viveram dias infelizes por não terem sido amigos íntimos da arte de dialogar e de ouvir. Dialogar e ouvir é dar e receber aquilo que o dinheiro jamais pode comprar.

Quanto pior a qualidade da educação, mais importante o papel da psiquiatria e da psicologia clínicas.

Referências

ADORNO, Theodor W. *Educação e emancipação*. Rio de Janeiro: Paz e Terra, 1971.

AYAN, Jordan. *AHA!* – 10 maneiras de libertar seu espírito criativo e encontrar grandes ideias. São Paulo: Negócio, 2001.

BAYMA-FREIRE, Hilda A.; ROAZZI, Antônio. *O ensino público é um desafio para todos*: encontros e desencontros no ensino fundamental brasileiro. Recife: UFPE, 2012.

CAPRA, Fritjof. *A ciência de Leonardo da Vinci*. São Paulo: Cultrix, 2008.

CHAUÍ, Marilena. *Convite à filosofia*. São Paulo: Ática, 2000.

CURY, Augusto. *O código da inteligência*. Rio de Janeiro: Ediouro, 2009.

CURY, Augusto. *Pais brilhantes, professores fascinantes*. Rio de Janeiro: Sextante, 2003.

CURY, Augusto. *Inteligência multifocal*. São Paulo: Cultrix, 1999.

CURY, Augusto. *A fascinante construção do Eu*. São Paulo: Planeta, 2012.

DESCARTES, René. *O discurso do método*. Brasília: UnB, 1981.

DOREN, Charles Van. *A history of knowledge*. New York: Random House, 1991.

FOUCAULT, Michel. *A doença e a existência*. Rio de Janeiro: Folha Carioca, 1998.

FREUD, Sigmund. *Obras completas*. Madri: Editorial Biblioteca Nueva, 1972.

FROMM, Erich. *Análise do homem*. Rio de Janeiro: Zahar, 1960.

GARDNER, Howard. *Inteligências múltiplas*: a teoria na prática. Porto Alegre: Artes Médicas, 1994.

GOLEMAN, Daniel. *Inteligência emocional*. Rio de Janeiro: Objetiva, 1995.

HALL, Calvin S.; LINDZEY, Gardner. *Teorias da personalidade*. São Paulo: EPU, 1973.

HUBERMAN, Leo. *História da riqueza do homem*. Rio de Janeiro: Guanabara, 1986.

JUNG, Carl Gustav. *O desenvolvimento da personalidade*. Petrópolis: Vozes, 1961.

LIPMAN, Matthew. *O pensar na educação*. Petrópolis: Vozes, 1995.

MORIN, Edgar. *Os sete saberes necessários à educação do futuro*. São Paulo: Cortez, 2000.

PIAGET, Jean. *Biologia e conhecimento*. Petrópolis: Vozes, 1996.

SARTRE, Jean-Paul. *O ser e o nada*. Petrópolis: Vozes, 1997.

STEINER, Claude. *Educação emocional*. Rio de Janeiro: Objetiva, 1997.

YUNES, Maria Angela Mattar. *A questão triplamente controvertida da resiliência em famílias de baixa renda*. 2001. Tese (Doutorado em Psicologia da Educação) – Pontifícia Universidade Católica de São Paulo, São Paulo, 2001.

Sobre o autor

A maior aventura de um ser humano é viajar, e a maior viagem que alguém pode empreender é para dentro de si mesmo. E o modo mais emocionante de realizá-la é ler um livro, pois um livro revela que a vida é o maior de todos os livros, mas é pouco útil para quem não souber ler nas entrelinhas e descobrir o que as palavras não disseram...

Augusto Jorge Cury nasceu em Colina, estado de São Paulo, no dia 2 de outubro de 1958. É o psiquiatra mais lido no mundo atualmente, professor, escritor e palestrante brasileiro, autor da Teoria da Inteligência Multifocal. Formado em medicina pela Faculdade de Medicina de São José do Rio Preto, fez pós-graduação na Pontifícia Universidade Católica de São Paulo, PUC-SP, e concluiu seu doutorado internacional em Psicologia Multifocal pela Florida Christian University no ano de 2013, com a tese "Programa Freemind como ferramenta global para prevenção de transtornos psíquicos". Na carreira, dedicou-se à pesquisa sobre o processo de construção de pensamentos, a formação do Eu, os papéis conscientes e inconscientes da memória, o programa de gestão de emoção e a lógica do conhecimento e o processo de interpretação.

Cury é professor de pós-graduação da Universidade de São Paulo, USP, e tem vários alunos mestrandos e doutorandos. É conferencista em congressos nacionais e internacionais. Foi conferencista no 13º Congresso Internacional sobre Intolerância e Discriminação da Universidade Brigham Young, nos Estados Unidos.

Considerado pelas revistas *IstoÉ* e *Veja*, pelo jornal *Folha de S.Paulo* e pelo instituto Nielsen o autor mais lido das últimas duas décadas no Brasil, seus livros já foram publicados em mais de setenta países e venderam mais de trinta milhões de exemplares apenas no Brasil.

No ano de 2009, recebeu o prêmio de melhor ficção do ano da Academia Chinesa de Literatura pelo livro *O vendedor de sonhos*, adaptado para o cinema em 2016, uma produção brasileira com direção de Jayme Monjardim.

O romance é considerado um *best-seller*, com milhões de cópias vendidas por todo o mundo. O filme se tornou também sucesso de bilheteria e um dos mais vistos da Netflix. O livro discorre, de maneira profunda, sobre os problemas emocionais e psicológicos e sobre as angústias da humanidade. Devido a todo o sucesso dessa obra, Cury escreveu duas sequências: *O vendedor de sonhos e a revolução dos anônimos* (2009) e *O semeador de ideias* (2010). Outros livros serão filmados, como *O futuro da humanidade* e *O homem mais inteligente da história*.

A teoria da Inteligência Multifocal é uma das raras teorias sobre o processo de construção de pensamentos e adotada em algumas importantes universidades. Ela visa a explicar o funcionamento da mente humana e as formas para exercer maior gerenciamento da emoção e do pensamento.

É autor do Escola da Inteligência, o maior programa mundial de educação socioemocional, com mais de 400 mil alunos e que promove desenvolvimento emocional de crianças, adolescentes e adultos. Elaborou o Programa Freemind, 100% gratuito, usado em centenas de instituições e clínicas, ambulatórios e escolas, a fim de contribuir com o desenvolvimento de uma emoção saudável para a prevenção e o tratamento da dependência de drogas. É autor do programa Você é Insubstituível, primeiro programa mundial de gestão da emoção para prevenção de transtornos emocionais e suicídios, também 100% gratuito, adotado por muitas instituições, como a Polícia Federal e a Associação de Magistrados do Brasil, e por uma nova rede social, a Gotchosen, que está disponível sem custos para todo ser humano de qualquer país. Entre na Gotchosen através do convite do Dr. Cury na bio dele do Instagram.